CW01024961

HISTOIRE & ACTUALITÉ

LE MARQUIS DE LAFAYETTE

L'ambassadeur des valeurs américaines en France

Par Hadrien Nafilyan
Sous la direction de Thomas Jacquemin

50MINUTES.fr

GILBERT DU MOTIER, MARQUIS DE LAFAYETTE

INTRODUCTION

Né sous le règne de Louis XV (1710-1774) et mort sous celui de Louis-Philippe Ier, la vie du marquis de Lafayette s'étend sur l'une des périodes les plus troublées de l'histoire de France, qui connaît la chute de l'Ancien Régime, la Révolution française, l'Empire, la Restauration puis la monarchie de Juillet. Bien que variable selon les périodes, l'action de Lafayette n'en est pas moins toujours importante, symboliquement sinon politiquement.

Sa légende s'écrit au cours de la guerre d'indépendance américaine, dans laquelle il s'engage alors qu'il n'a que 20 ans, contre le gré de sa famille et – officiellement du moins – du roi. De 1777 à 1781, il se bat contre les Anglais aux côtés des Américains, et devient le héros des deux mondes : sa renommée est faite pour le restant de ses jours.

Conquis par les valeurs américaines de liberté, d'égalité des droits et des devoirs, Lafayette n'a de cesse de vouloir les transposer en France. Il s'engage dès le début de la Révolution dans le camp des réformistes, c'est-à-dire des partisans d'une monarchie constitutionnelle. Il joue un rôle majeur jusqu'en 1792, date à laquelle il est contraint de fuir la France.

À partir de 1799, il se cantonne à un rôle d'opposant, résolu mais distant, à Napoléon Ier. Son opposition devient plus active sous la Restauration, où il retrouve des responsabilités politiques, mais c'est lors de la révolution de 1830 qu'il renoue avec son glorieux passé : on lui propose la présidence de la République, qu'il refuse, pour contribuer significativement à l'intronisation de Louis-Philippe.

S'il jouit encore aujourd'hui d'une très grande popularité aux États-Unis, il a toutefois été victime de nombreuses attaques en France suite à certains actes certes contestables, mais qui ne peuvent remettre en cause l'incroyable destinée de ce personnage.

LE SAVIEZ-VOUS ?

Alors que son nom s'écrit en deux mots, Lafayette signe très tôt en un seul mot, marquant par là son refus de se distinguer par un rang qu'il ne doit qu'à sa naissance et non à sa valeur.

DONNÉES CLÉS

- **Naissance ?** Le 6 septembre 1757 à Chavaniac-Lafayette (Auvergne).
- **Mort ?** Le 20 mai 1834 à Paris.
- **Apports majeurs ?** Il est l'un des acteurs majeurs de la guerre d'indépendance des États-Unis (1775-1783), du début de la Révolution française (1789-1792), de l'abdication de Napoléon Ier (1815) et de l'accession au trône de Louis-Philippe Ier (1830).

BIOGRAPHIE

UNE ENFANCE D'ARISTOCRATE

Gilbert du Motier, marquis de Lafayette, naît le 6 septembre 1757 dans la commune de Saint-Georges-d'Aurac, aujourd'hui Chavaniac-Lafayette, en Haute-Loire (Auvergne) au sein d'une vieille famille aristocratique attestée depuis le XVe siècle, dont la personnalité la plus illustre est sans doute la femme de lettres Marie-Madeleine Pioche de la Vergne, comtesse de La Fayette (1634-1693), à qui l'on doit *La Princesse de Clèves*.

Son père est tué au cours de la guerre de Sept Ans (1756-1763) alors qu'il a deux ans. Il est ensuite confié par sa mère à ses tantes paternelles. C'est à Chavaniac qu'il passe son enfance, heureuse semble-t-il, avant d'entrer à 11 ans au collège du Plessis (le futur lycée Louis-le-Grand) à Paris. À la mort de sa mère et de son grand-père en 1770, il hérite d'une importante fortune qui fait de lui l'un des plus beaux partis de France. Quatre ans plus tard, il entre dans la puissante famille des Noailles en épousant Marie-Adrienne (1759-1807), de deux ans sa cadette.

Marie-Adrienne de Noailles

Très amoureuse de son époux et d'une grande piété conjugale, Marie-Adrienne de Noailles supporte avec une remarquable abnégation les écarts de son mari, à qui elle donnera quatre enfants, Henriette (1776-1778), Anastasie (1777-1863), George Washington (1779-1849) et Virginie (1782-1849). Elle soutient Lafayette dans toutes ses démarches, et tempère l'idéalisme de son mari par son sens des réalités et la pertinence de ses réflexions. Par amour, elle va jusqu'à le rejoindre dans sa prison autrichienne en 1795 où elle reste enfermée pendant deux ans, ruinant sa santé. Sa disparition, le 24 décembre 1807, affecte profondément Lafayette, qui écrit à l'un de ses amis : « J'ai dit adieu à elle et à mon bonheur en ce monde. » (cité par Castries (René duc de), *La Fayette*, Paris, Tallandier, 1981, p. 331) Depuis lors, il commémore chaque année sa disparition en se retirant dans la chambre de son épouse, laissée intacte.

LA GUERRE D'INDÉPENDANCE DES ÉTATS-UNIS

Lafayette est nommé en 1774 commandant d'une compagnie au régiment des dragons de Noailles à Metz, mais décide en 1777 de partir combattre les Anglais aux côtés des Américains qui s'efforcent de gagner leur indépendance. Il acquiert rapidement la confiance et l'affection de George Washington (1732-1799), alors commandant en chef de l'armée américaine, et joue un rôle essentiel dans l'entrée en guerre officielle de la France en 1778. Même s'il n'obtient pas le commandement de l'armée française, son engagement dès le début du conflit, son enthousiasme et son talent militaire lui assurent une solide renommée des deux côtés de l'Atlantique.

UN RÉVOLUTIONNAIRE MODÉRÉ

Après trois séjours en Amérique, il rentre définitivement en décembre 1781 et devient maréchal de camp dans l'armée française. Partisan d'une libéralisation du régime monarchique, il en combat les aspects arbitraires et les injustices, puis prend fait et cause pour les révolutionnaires en 1789.

Sa réputation d'aristocrate éclairé et de fervent défenseur des libertés le conduit à être nommé commandant de la garde nationale, c'est-à-dire de la milice parisienne, ce qui lui confère un pouvoir incontestable et un rôle d'arbitre entre les différentes factions de révolutionnaires. Membre de l'Assemblée constituante, il participe activement à la rédaction de la Déclaration des droits de l'homme et du citoyen et à l'élaboration de la Constitution. Lorsque la coalition des puissances européennes, peu désireuses de voir s'étendre les idéaux de la Révolution française, menace d'envahir la France en 1792, Lafayette est nommé général de l'armée du Nord.

EXILÉ ET OPPOSANT À L'EMPIRE

En août 1792, ses ennemis jurés que sont les jacobins obtiennent sa mise en accusation : il préfère l'exil à la guillotine et est fait prisonnier par les Prussiens, qui le confient aux Autrichiens. Il n'est libéré qu'en 1797 sur les instances de ses amis américains, parmi lesquels Washington, alors président des États-Unis, et du général Bonaparte. Ce dernier ne tient toutefois pas à voir revenir Lafayette en France, la renommée et les convictions libérales de celui-ci s'accordant mal à ses projets. De fait, lorsque le marquis est enfin autorisé à rentrer en France – à condition qu'il s'installe en province – il fait figure d'opposition, qui tient cependant plus de la désapprobation que de l'affrontement ouvert. Retiré en son château de la Grange, en Seine-et-Marne, il se consacre de 1800 à 1814 à sa vie de famille et à la gestion de son domaine, ayant un goût prononcé pour l'agriculture.

Les Jacobins

Modéré à sa création en 1789, le club des Jacobins, parti révolutionnaire qui doit son nom à l'ancien couvent des jacobins où il s'est établi à Paris, se radicalise lorsque Robespierre (1758-1794) en prend la tête en 1792. Ardents partisans d'une démocratie et d'une égalité absolues, ils sont les principaux acteurs de la Terreur (1793-1794).

OPPOSANT À LA RESTAURATION

Élu député de Seine-et-Marne en mai 1815, il s'oppose plus ouvertement à Napoléon Ier et va même jusqu'à demander son abdication. Un temps favorable au retour des Bourbons, qu'il croit disposés à l'établissement d'une monarchie constitutionnelle, il déchante rapidement et reprend son rôle d'opposant. Face aux multiples lois et décrets limitant considérablement l'expression de l'opposition, Lafayette devient membre de la charbonnerie, une organisation secrète, et prend part ou apporte son soutien à plusieurs complots, qui finissent tous par échouer. Le Gouvernement craignant les réactions que son arrestation pourrait susciter, il n'est pas inquiété. Désabusé, il part en 1824 pour l'Amérique où l'attend une véritable consécration : pendant un an, il est reçu en héros par toutes les provinces, avant de rentrer en France en 1825.

LOUIS-PHILIPPE IER, ROI PAR LA VOLONTÉ DE LAFAYETTE

Lafayette rejoue lors des journées révolutionnaires de juillet 1830 le rôle qu'il a joué 40 ans plus tôt : il est nommé commandant de la garde nationale et s'installe à l'hôtel de Ville de Paris. C'est alors qu'on lui propose de proclamer la République et d'en être le premier président. Mais il refuse, et se montre favorable à l'intronisation du duc d'Orléans, Louis-Philippe, qui lui promet de se comporter en monarque constitutionnel. Ce sera la dernière désillusion du marquis de Lafayette, qui meurt le 20 mai 1834 à Paris. Il est enterré auprès de sa femme au cimetière de Picpus (cimetière privé de Paris).

LE SAVIEZ-VOUS ?

Lafayette a été inhumé par son fils George Washington dans de la terre qu'il avait rapportée à cette fin lors de son dernier voyage aux États-Unis en 1825.

CONTEXTE

La période historique qu'a connue le marquis de Lafayette est marquée par de nombreux soubresauts politiques. De 1780 à 1830, le destin de la France est sans cesse remis en cause. C'est une succession de régimes politiques, de crises, de révolutions, de guerres intérieures et extérieures qui font et défont maintes carrières publiques. Le marquis de Lafayette, lui, survit physiquement et politiquement à tous ces événements et connaît certaines de ses plus grandes heures de gloire, mais aussi quelques-unes de ses plus sombres.

L'INDÉPENDANCE DES ÉTATS-UNIS

Bien que sortie victorieuse de la guerre de Sept Ans qui l'a opposée à la France et à l'Espagne, la Grande-Bretagne est ruinée. Pour éviter que la situation économique ne s'aggrave, celle-ci répercute le coût de la guerre sur ses treize colonies américaines en augmentant les taxes et la fiscalité. Jugeant ces lois iniques, d'autant plus que, n'étant pas représentées au Parlement britannique, les colonies n'ont pas voix au chapitre, elles se révoltent et déclarent leur indépendance le 4 juillet 1776. On voit naître aussitôt une opposition entre les patriotes ou *insurgents* et les loyalistes, restés fidèles à la couronne britannique, qui intervient militairement pour mettre fin à l'agitation de ses colonies. C'est aux côtés des *insurgents* que s'engage Lafayette, bientôt rejoint par les troupes françaises à la suite du traité d'alliance franco-américain du 6 février 1778. Les Anglais finissent par s'avouer vaincus après plusieurs années de bataille, et, le 3 septembre 1783, le traité de Paris met un terme à la guerre.

LA RÉVOLUTION FRANÇAISE

Les fonds débloqués par la France pour soutenir la guerre d'indépendance des États-Unis précipitent le pays dans la crise financière dans les années 1780. L'aristocratie et le clergé, pour une grande part, sont fermés à toute réforme qui attenterait à leurs privilèges, et le roi, indécis sur les mesures à prendre pour améliorer la situation, remplace ses ministres efficaces mais impopulaires par d'autres qui se révèlent moins compétents et tout aussi impopulaires. Acculé, il se décide à convoquer en 1787 l'Assemblée des notables, assemblée consultative chargée de trouver des solutions dont les membres sont désignés par le roi, et dont Lafayette fait partie.

L'Assemblée des notables ne parvenant à aucune conclusion, le roi convoque les états généraux le 5 mai 1789. Parmi les membres des trois ordres (noblesse, clergé et tiers) élus par leurs pairs se trouve également Lafayette, représentant de la noblesse d'Auvergne. Cette convocation déclenche la Révolution. Lors du serment du Jeu de paume, le 20 juin 1789, les députés jurent de ne pas se séparer avant d'avoir établi une constitution. Une semaine plus tard, les états généraux se constituent en Assemblée nationale ; la Bastille est prise le 14 juillet ; les privilèges sont abolis le 4 août, et le roi et sa famille s'installent à Paris sous la pression populaire le 6 octobre.

Un peuple en colère

Si le peuple souhaite que l'absolutisme royal soit aboli, il n'est pas fondamentalement hostile à la monarchie. Le tiers état réclame avant tout une constitution lui octroyant davantage de liberté individuelle et l'égalité de tous devant la loi. L'appel à un régime parlementaire en tant que tel ne fait pas l'unanimité. Si le roi avait collaboré de bonne foi à cette évolution, les choses se seraient peut-être déroulées autrement et une monarchie à l'anglaise aurait peut-être pu voir le jour.

D'abord majoritairement favorables à l'établissement d'une monarchie constitutionnelle, les révolutionnaires sont peu à peu dépassés par les plus radicaux d'entre eux, qui ne jurent que par la république, et doivent composer avec l'irrésolution et la faiblesse du roi. La fuite de la famille royale à Varennes le 20 juin 1791 et l'entrée en guerre le 20 avril 1792 contre l'Autriche envenime considérablement la situation : les révolutionnaires modérés, c'est-à-dire pour l'essentiel les partisans de la monarchie constitutionnelle, parmi lesquels Lafayette, sont menacés et accusés de trahison par les jacobins, pour qui la seule révolution viable est l'abolition totale et définitive de la monarchie.

À partir du 10 août 1792, la Révolution bascule dans la Terreur, qui ne prend fin qu'avec l'exécution de Robespierre le 28 juillet 1794. Lafayette n'est alors déjà plus en France, étant prisonnier des Prussiens, puis des Autrichiens, depuis le 25 août 1792. Il n'assiste donc pas à la Convention thermidorienne (juillet 1794-octobre 1795), qui calme la situation, ni au Directoire (octobre 1795-novembre 1799), période durant laquelle le rôle de Napoléon Bonaparte prend une dimension majeure, notamment à la suite de la campagne d'Italie (1796-1797) menée contre l'Empire autrichien.

L'ÈRE NAPOLÉONIENNE

Le coup d'État du 18 brumaire de l'an VIII (9 novembre 1799) marque le début du Consulat, dont Bonaparte est le premier consul, titre qui lui est décerné à vie en 1802. Il s'attache à rétablir l'ordre et à calmer les passions en adoptant une politique de réconciliation à l'égard des modérés des différentes factions. Il tente ainsi une synthèse des acquis de la Révolution et des aspects les plus consensuels de l'Ancien Régime. Ces dispositions s'accompagnent toutefois de mesures autoritaires et d'une restriction des libertés. Mais les Français, las de dix ans de tourmente, soutiennent massivement Napoléon.

Lettre de Lafayette à Bonaparte

Lafayette écrit le 20 mai 1802 au premier consul : « Le 18 brumaire sauva la France et je me sentis rappelé par les professions libérales auxquelles vous aviez attaché votre honneur. On vit depuis dans le pouvoir consulaire cette dictature réparatrice, qui, sous les auspices de votre génie, a fait de si grandes choses, moins grandes cependant que la restauration de la liberté. Il est impossible que vous, général, [...] vous vouliez qu'une telle Révolution, tant de victoires et de sang, de douleurs et de prodiges, n'aient pour tout le monde et pour vous d'autre résultat qu'un régime arbitraire. » (*Ibid.*, p. 308-309) Une habile manière d'indiquer qu'il désapprouve la forme que prend le pouvoir de Napoléon.

Le 18 mai 1804, Napoléon est proclamé empereur. S'ensuivent dix ans de conquêtes puis de défaites qui font de l'Europe un vaste champ de bataille. L'opposition est faible et Napoléon reste longtemps populaire, bien que la série d'échecs des années 1813-1814 entame sérieusement l'enthousiasme des Français. Les guerres incessantes, outre les dizaines de milliers de morts, ont mis à mal l'économie du pays, de sorte que l'arrivée de Louis XVIII (1755-1824) sur le trône, à la suite de l'abdication de l'Empereur le 6 avril 1814, est plutôt favorablement accueillie.

LA RESTAURATION

Très rapidement, la politique rétrograde de Louis XVIII déçoit les Français, au point qu'un an plus tard ils célèbrent le retour de Napoléon de l'île d'Elbe. Ce dernier tente de reprendre la situation en main, mais la défaite de Waterloo met un terme définitif à l'épopée napoléonienne le 22 juin 1815. La Restauration s'installe alors durablement. Les ultras, plus royalistes que le roi, sont majoritaires aux premières élections législatives du règne de Louis XVIII. Ce dernier tente pourtant une libéralisation du pouvoir, qui tournera court en 1820 avec l'assassinat du duc de Berry, Charles Ferdinand d'Artois (1778-1820), héritier putatif du trône. L'opposition étant pratiquement évincée du jeu politique, elle tend à sombrer dans l'illégalité. Plusieurs complots, dont ceux de la charbonnerie – auxquels prend part Lafayette – tous éventés, tentent de renverser le régime. L'héritage de la Révolution est tout autant contesté par Charles X (1757-1836), qui succède en 1824 à Louis XVIII. La situation est de plus en plus tendue jusqu'en 1830.

LA RÉVOLUTION DE JUILLET

Alors que le règne de Charles X prend une tournure de plus en plus rétrograde, les députés manifestent leur mécontentement. Le roi fait alors passer de force des mesures autoritaires portant notamment atteinte à la loi électorale et à la liberté de la presse, ce qui provoque une insurrection populaire le 27 juillet 1830. Celle-ci se prolonge les 28 et 29 juillet, mais elle est contenue et encadrée par les députés libéraux modérés, dont Lafayette, afin d'éviter que se répètent les dérives de la Révolution française. Ces journées révolutionnaires resteront connues comme les Trois Glorieuses.

On hésite entre l'instauration d'une république et une monarchie constitutionnelle dont on confierait le trône au duc d'Orléans, Louis-Philippe. C'est cette deuxième solution qui est privilégiée, beaucoup jugeant que la France n'est pas prête à s'organiser en république, le spectre de la naissance de la Première République étant encore trop présent. De fait, la fondation de la monarchie de Juillet est la tentative de redonner une chance à la première révolution (1789-1792), considérée comme positive, et que la Terreur a fait avorter. Elle ne tient pas ses promesses et est rapidement confrontée à de vives contestations, parfois violentes.

TEMPS FORTS

On peut distinguer trois grands moments dans la vie du marquis de Lafayette : sa collaboration à la guerre d'indépendance américaine (1777-1781), son rôle au cours de la Révolution française (1789-1792) et de la révolution de Juillet (1830).

AU SERVICE DE L'AMÉRIQUE

Premier départ pour l'Amérique

L'ardente volonté de venir en aide aux *insurgents* américains naît chez le marquis de Lafayette alors qu'il est en garnison à Metz sous les ordres du comte de Broglie (1719-1781). Ce dernier est favorable à une intervention française, et envisage même un temps de proposer aux Américains de pendre la tête de l'insurrection. Il encourage donc Lafayette à s'engager et facilite grandement ses préparatifs, tandis que les émissaires américains, parmi lesquels Benjamin Franklin (1706-1790), chargés de persuader les Français de leur porter assistance, promettent au marquis et à ceux qui voudront l'accompagner des grades élevés dans l'armée américaine. Toutefois, sa belle-famille comme le Gouvernement français s'opposent à une telle démarche, tant et si bien que Lafayette doit acheter son navire, qu'il baptise *La Victoire*, l'armer, et recruter l'équipage en secret. Il met les voiles le 11 avril 1777, alors qu'il est sous le coup d'une lettre de cachet.

La lettre de cachet

Sous l'Ancien Régime, une lettre de cachet, c'est-à-dire une lettre fermée par le sceau royal, autorise son destinataire à procéder sans procès à l'internement ou à la mise en exil d'un individu particulier, en l'occurrence Lafayette.

Officier de l'armée américaine

Arrivé le 13 juin sur les côtes américaines, il rencontre George Washington, alors général en chef de l'armée américaine. Se nouent entre eux une estime et une affection profonde que vient renforcer leur adhésion commune à la franc-maçonnerie. Washington lui confie rapidement des missions valorisantes. Mais Lafayette est blessé lors de son baptême du feu à la bataille de Brandywine en Pennsylvanie (11 septembre 1777), qui voit la défaite des Américains. Après avoir été chargé d'une expédition contre le Canada anglais, à laquelle le Congrès américain finit par renoncer, il reçoit à l'hiver 1777-1778 la mission, dont il s'acquitte avec succès, de négocier une alliance avec les Hurons et Iroquois.

Première rencontre entre George Washington et Lafayette qui a eu lieu en 1777 à Philadelphie.

Entre-temps, il convainc la France d'intervenir, et le 6 février 1778 est officiellement signé le traité d'alliance franco-américain, qui a pour conséquence l'envoi d'une escadre en Amérique, outre des aides financières et l'acheminement d'armes et de munitions. Toutefois, en tant qu'officier de l'armée américaine, Lafayette ne combattra jamais avec les Français, mais toujours au sein de l'armée des États-Unis et sous les ordres de Washington. Il mène de nombreuses missions, qui ne sont pas d'importance décisive, mais dont le succès fortifie la situation américaine. Il remporte la bataille de Barren Hill, près de Philadelphie, le 20 mai 1778, et participe à celle de Monmouth, dans le New Jersey, le 28 juin 1778. Mais l'escadre française est d'une efficacité limitée, la guerre traîne en longueur, et Lafayette rentre temporairement en France en janvier 1779.

Le second départ et la victoire

En France, Lafayette est reçu par les ministres et le roi lui-même malgré sa désobéissance, et participe activement à la préparation de l'opération d'envergure de soutien aux États-Unis que mènera prochainement la France. Lafayette demande que lui soit confié le commandement du corps expéditionnaire envoyé à l'été 1780, mais celui-ci échoit au comte de Rochambeau

(1725-1807), homme d'expérience et de talent qui s'illustrera au cours de la guerre. Embarqué sur l'Hermione le 20 mars 1780, Lafayette retourne aux États-Unis, où il prend bientôt la tête d'une unité d'élite, les riflemen. Fatiguée par la durée de la guerre, l'armée américaine doit faire face aux trahisons, aux mutineries et aux revers qui l'affaiblissent durant l'hiver 1780-1781. Mais la campagne de Virginie menée par Lafayette et destinée à harceler les Anglais de lord Cornwallis (1738-1805), la coordination des troupes terrestres et de l'escadre française, et les erreurs de l'état-major britannique conduisent à la victoire décisive de Yorktown, en Virginie, le 19 octobre 1781. Lafayette rentre en France en janvier 1782.

LE SAVIEZ-VOUS ?

L'Hermione, la frégate à bord de laquelle Lafayette a effectué sa seconde traversée pour les États-Unis en 1780, a été reconstruite à l'identique et achevée en 2012. Elle mesure 65 mètres de long pour 11 mètres de large, et ses mâts, dont le plus grand culmine à 54 mètres, supportent 2 200 m² de voilure. Ayant appareillé de La Rochelle en avril 2015 pour entreprendre le voyage historique de Lafayette, elle devrait arriver à Yorktown au début du mois de juin, puis parcourra les côtes américaines en remontant vers le nord jusque Saint-Pierre-et-Miquelon, en passant par Baltimore, Philadelphie, New York et Boston. Elle devrait achever son périple à Brest, fin août 2015.

Réplique de la frégate Hermione.

Un rôle symbolique

Au cours de la guerre d'indépendance des États-Unis, Lafayette n'est jamais commandant en chef, ni de l'armée américaine, ni même de l'armée française, toujours confiée à un général plus expérimenté. Il remplit les missions dont le charge Washington ou le Congrès américain, mais il les remplit brillamment, en faisant preuve d'initiatives et de réels talents militaires, ce dont tous s'aperçoivent et ce qui l'amène à commander à des troupes de plus en plus nombreuses et dans des circonstances de plus en plus décisives. Il adopte ainsi très vite des actions de guérilla face à une armée anglaise plus importante que la sienne ou brise les encerclements des troupes adverses. Sa principale tactique se résume à une grande mobilité et à une rapidité de mouvement alors peu communes dans les guerres de l'époque.

Le héros des deux mondes

Ce qui fait surtout la gloire de Lafayette, c'est son engagement précoce, indéfectible et ostensible aux côtés des Américains. Il se démène pour que la France intervienne dans le conflit, ne se lasse pas de requérir missions et responsabilités, et soumet à maintes reprises des plans de campagne – comme l'invasion du Canada anglais – plus ou moins réalistes, mais qui témoignent de son investissement dans cette guerre. À son retour en France en 1781, la renommée du héros des deux mondes, surnom qui lui est alors donné, est faite. Il devient, pour la France, celui qui a contribué à son rayonnement et qui a sauvé son honneur en participant à la défaite anglaise ; pour les États-Unis, il incarne la France libératrice.

Mais il ne fait nul doute que la résonnance de son engagement a été, et est encore, plus vive aux États-Unis qu'en France. En témoignent le séjour qu'il passe en Amérique en 1784, et surtout celui de 1824-1825, où, 45 ans après les faits, il connaît pendant un an une véritable apothéose : reçu par le président James Monroe (1758-1831), fêté dans chaque ville qu'il traverse, il va de banquet en banquet, de célébration en célébration, et se voit offrir 200 000 dollars – près de 4 millions d'euros – et 10 000 hectares de terre. Le duc de Broglie (1785-1870) note dans ses mémoires : « Étranger ou concitoyen, jamais aucun homme, dans aucun temps, dans aucun pays, ne reçut de tout un peuple un pareil accueil. » (*Souvenirs*, Paris, Calmann-Lévy, 1886, vol. 2, p. 418). Un siècle plus tard, en 1917, les Américains venus au secours de la France prononceront sur la tombe de Lafayette cette célèbre formule : « Lafayette, nous voilà. » Aujourd'hui encore, pas moins de 44 villes, 17 comtés, mais aussi des lacs et des montagnes portent son nom aux États-Unis.

LA RÉVOLUTION FRANÇAISE

Député de la noblesse aux états généraux de 1789

Ce n'est pas sans difficulté que Lafayette est choisi par ses pairs auvergnats pour siéger aux états généraux convoqués par Louis XVI pour le 5 mai 1789. Il s'est de fait montré hostile à l'absolutisme durant les années 1780 et a proposé, alors qu'il était membre des notables, une série de réformes qui ont été jugées scandaleuses par une grande partie de la noblesse. On trouve parmi celles-ci une meilleure répartition des taxes, et ce notamment en faisant participer à l'effort le clergé et la noblesse, ainsi que la destruction des douanes intérieures, un meilleur contrôle des impôts et des dépenses, et la limitation de la souveraineté royale par la séparation des pouvoirs législatif et exécutif.

La renommée de Lafayette lui confère une forte influence, surtout auprès du tiers état, sensible à ses convictions libérales et auquel Lafayette se montre souvent favorable, au grand dam de ses pairs. Il s'oppose d'ailleurs au vote par ordre, c'est-à-dire à l'obligation pour chacun de voter comme les membres de son ordre. Il songe même à démissionner pour se faire réélire comme député du tiers état, lorsque Louis XVI ordonne la réunion des trois ordres. Le 20 juin, il peut réellement rejoindre le tiers état qui s'est constitué, lors du serment du Jeu de paume, en Assemblée constituante.

Un acteur majeur de la Révolution

La présentation à l'Assemblée le 11 juillet d'une Déclaration européenne des droits de l'homme et des citoyens place Lafayette au premier plan. Le 15 juillet, il est chargé de recevoir le roi à l'Assemblée, puis félicite les Parisiens pour la prise de la Bastille. C'est alors qu'il est proclamé par la foule parisienne commandant de la garde nationale, une milice bourgeoise chargée de faire respecter l'ordre. Il aura dès lors en son pouvoir le destin de la Révolution. Mais il apprend rapidement à ses dépens combien il est difficile de contenir les mouvements de foule, lorsqu'il ne peut empêcher les pendaisons sauvages ou la marche sur Versailles le 5 octobre 1789. À plusieurs reprises, il manque de démissionner, mais retire sa démission devant les supplications des Parisiens. Il est, à cette époque, très populaire, et sa gloire culmine le jour de la fête de la Fédération, qu'il organise le 14 juillet 1790 pour commémorer la prise de la Bastille et au cours de laquelle il parade triomphant sur son cheval blanc.

Le Serment de Lafayette à la fête de la Fédération, 14 juillet 1790.

LE SAVIEZ-VOUS ?

Lafayette est à l'origine de la cocarde tricolore, créée par association du blanc, couleur de la monarchie, aux couleurs de la ville de Paris, le bleu et le rouge. Ces couleurs deviendront celles du drapeau français en 1794.

L'arbitre de la Révolution

La position de Lafayette reste très délicate jusqu'à sa fuite en territoire ennemi au mois d'août 1792. Outre ses convictions personnelles et son aversion envers toute forme de violence, il est souvent confronté à un problème cornélien : ne pas intervenir lors des débordements et risquer de voir la situation dégénérer, ou bien maintenir l'ordre et s'exposer à devoir utiliser la force armée. Dans le premier cas, c'est provoquer l'hostilité des royalistes absolutistes, et dans le second, la haine des jacobins. C'est précisément ce qui arrive le 17 juillet 1791 lors d'une émeute sur le Champ-de-Mars que Lafayette, qui manque d'être assassiné, réprime dans le sang. Le nombre de victimes – une douzaine – ayant été considérablement grossi par la propagande jacobine, cet épisode entache la gloire du marquis.

Ce dernier doit également faire face à des personnalités politiquement proches de lui, mais avec lesquelles il ne parvient pas à s'entendre, comme le comte de Mirabeau (1749-1791), et au clan du duc d'Orléans, le futur Philippe Égalité (1747-1793), qui conspire contre Louis XVI. Car Lafayette n'aura de cesse de défendre le corps politique comme le corps physique du roi, même si ce dernier ne lui accordera jamais sa confiance, par irrésolution plus que par aversion. En revanche, la reine ne cache pas son animosité à l'égard de Lafayette. Malgré toutes ces adversités, le commandant de la garde nationale conserve le soutien de l'Assemblée constituante pendant trois ans, jusqu'à ce que les divisions internes, la faiblesse des modérés et l'agressivité des jacobins placent ses partisans en minorité. C'est ce qui arrive le 14 août 1792, lorsque Danton (1759-1794) demande son arrestation, puis sa convocation devant le tribunal révolutionnaire, créé le 17 août. Lafayette, alors commandant en chef de l'armée du Nord, comprend que s'y rendre, c'est mourir, et il passe en territoire ennemi, où il est arrêté.

Un homme aux qualités insuffisantes

La plupart des contemporains s'accordent sur le fait que Lafayette n'avait pas la personnalité d'un homme d'État. On lui reproche son absence de fermeté et sa naïveté, notamment à propos des divers serments et des promesses qu'il prend pour argent comptant, et d'aucuns disent que si ses capacités intellectuelles et morales avaient été à la hauteur du rôle que le destin lui avait confié, il aurait pu éviter que la Révolution ne dégénérât. L'un des proches de Lafayette écrit à son propos :

> Il m'a paru un homme dévoré du désir de mettre son nom à la tête de la révolution de ce pays-ci [la France], comme Washington a mis le sien à la tête de celle de l'Amérique, mais ne voulant employer que des moyens honnêtes, ayant une grande présence d'esprit, une tête très froide, de l'activité, quoiqu'un choix assez médiocre dans son emploi, beaucoup d'adresse à profiter des circonstances, quoique manquant du génie qui les crée, au total un homme honnête et de mérite, quoique ce ne soit pas un grand homme. »
>
> (cité par CASTRIES (René duc de), *op. cit.*, p. 184)

LA RÉVOLUTION DE JUILLET

> « Le baiser républicain de Lafayette fit un roi » (Chateaubriand)

Dès le premier jour du soulèvement, le 27 juillet 1830, Lafayette propose la constitution d'un gouvernement provisoire, et accepte le lendemain le commandement de la garde nationale, recréée pour l'occasion. Installé à l'hôtel de Ville, il devient à 73 ans le chef d'un gouvernement parallèle à celui de Charles X. Le 30 juillet, on lui propose d'instituer une république et d'en devenir le président, mais il refuse, et décide de placer Louis-Philippe, duc d'Orléans, sur le trône, ce dernier l'ayant assuré de ses intentions libérales. Alors que Louis-Philippe arrive à l'hôtel de Ville sous les huées, Lafayette s'empare d'un drapeau tricolore, qu'il passe sur les épaules du futur roi en l'embrassant, puis il crie à la foule : « Voilà la meilleure des Républiques ! » Le peuple acclame alors Louis-Philippe.

> « Noblement désintéressé quoique très préoccupé de lui-même, et presque aussi inquiet de la responsabilité qu'amoureux de la popularité, il [Lafayette] se complaisait à traiter pour le peuple et au nom du peuple, bien plus qu'il n'aspirait à le gouverner. Que la république, et la république présidée par lui, fût entrevue comme une chance possible, s'il la voulait ; que la monarchie ne s'établît que de son aveu et à condition de ressembler à la république ; cela suffisait à sa satisfaction. »
>
> (GUIZOT (François), *Mémoires pour servir à l'histoire de mon temps*, Paris, Lévy Frères, 1859, tome 2, p. 12)

Cependant, Louis-Philippe, agacé par l'attitude de Lafayette, s'empresse de limiter le pouvoir de celui-ci en le réduisant à commander la garde parisienne. Lafayette démissionne, et reprend jusqu'à sa mort en 1834 son rôle d'opposant, estimant que Louis-Philippe a trahi sa confiance et ses idéaux.

RÉPERCUSSIONS

UN PRÉCURSEUR DU MONDE MODERNE

S'il y a un aspect de la personnalité de Lafayette qui a étonné ses contemporains, c'est bien l'exceptionnelle permanence de ses idées et la constance de ses convictions, qui se sont formées en Amérique. Épris très jeune de liberté et de justice, pour lui-même mais surtout pour les autres, il n'aura de cesse de combattre la tyrannie sous toutes ses formes. Favorable à l'abolition de l'esclavage et farouchement opposé à la peine de mort, il prend parti pour tous les opprimés : il est ainsi à l'origine de l'édit de tolérance du 29 novembre 1787, par lequel Louis XVI reconnaît les protestants et leur accorde un état civil. Il apparaît donc comme le parangon de l'aristocrate éclairé.

UNE PERSONNALITÉ CONTROVERSÉE

Toutefois, dès son époque, et à plus forte raison aujourd'hui, Lafayette pâtit d'une posture trop souvent en demi-teinte. L'histoire rend rarement justice aux figures mesurées et retient plus volontiers les fortes personnalités. Les noms de Mirabeau, de Marat, de Danton ou encore de Robespierre sont plus rapidement associés à la Révolution française que celui de Lafayette, alors que celui-ci était objectivement plus puissant que les premiers. Il faut également garder à l'esprit que Lafayette était partisan d'une monarchie constitutionnelle en 1789 comme en 1830 ; or, ce système politique a échoué, et la République, qui a fini par triompher en France, a dès lors privilégié ses héros et ses mythes. C'est la raison pour laquelle la répression de l'émeute du Champ-de-Mars par Lafayette, bien qu'elle ait été très limitée, a été amplifiée par la propagande républicaine. Et lorsqu'en 2007, il est question de transférer ses cendres au Panthéon, une polémique se fait jour et aboutit à l'abandon du projet, ses détracteurs arguant justement du fait qu'il était monarchiste et qu'il aurait trahi sa patrie en août 1792.

Lafayette n'avait pas l'âme d'un chef et il a laissé passer les occasions qui, par deux fois au moins, en le plaçant à la tête de l'État, l'auraient définitivement inscrit au nombre des grands hommes de l'histoire de France. Indépendant de tout parti et de toute faction, si ce n'est de la franc-maçonnerie, il n'a pas laissé non plus de disciples, et ce d'autant moins qu'il s'est essentiellement érigé en figure solitaire de l'opposition. Il reste cependant que ses valeurs ont fini par triompher au cours des deux derniers siècles.

LAFAYETTE, UNE CÉLÉBRITÉ INCONTESTÉE DE L'AMÉRIQUE

En réalité, Lafayette est moins célèbre pour son action en France que pour son engagement en Amérique. Son nom est aujourd'hui associé dans l'imaginaire collectif à la guerre d'indépendance des États-Unis, et c'est à cette période de sa vie qu'il doit l'essentiel de sa renommée. Là encore, c'est en partie lié à l'importance qu'ont pris les États-Unis dans l'histoire mondiale, et donc à l'intérêt qui est porté à leur passé.

On ne saurait toutefois déprécier le rôle de Lafayette, que les Américains considèrent comme l'un des plus grands héros de leur histoire. Car c'est paradoxalement aux États-Unis que l'on célèbre le plus sa mémoire. En 1941, les Américains s'emparent d'un paquebot français – appartenant alors au régime de Vichy – et le renomment l'USS Lafayette. Le 8 août 2002, à la demande du Congrès, George W. Bush (né en 1946) élève Lafayette au rang de citoyen d'honneur des États-Unis d'Amérique, titre qui n'a été accordé jusqu'à présent qu'à huit personnes.

LE SAVIEZ-VOUS ?

Chaque 4 juillet – jour anniversaire de l'indépendance américaine – depuis la mort de Lafayette en 1834, l'ambassadeur des États-Unis d'Amérique en France célèbre la mémoire du marquis de Lafayette au cimetière de Picpus. À cette occasion, le drapeau américain présent en permanence sur la tombe du héros des deux mondes est remplacé par un nouveau drapeau, ayant précédemment flotté sur le Capitole à Washington.

Hommage rendu à Lafayette par la marine américaine au cimetière Picpus.

De nombreuses associations perpétuent aujourd'hui encore la mémoire de Lafayette. Fondée en 1932, l'association américaine The American F riends of Lafayette organise des conférences et des visites des sites américains qui sont en rapport avec le marquis, et soutient la recherche. Elle est présente au cimetière de Picpus chaque année, le 4 juillet. En France, Lafayette bénéficie d'un regain d'actualité depuis les années 2000, période au cours de laquelle se sont créées de nouvelles associations telles que le Cercle des amis de Lafayette et l'association franco-américaine de l'Ordre Lafayette, destinée à entretenir les liens entre les États-Unis et la France.

De fait, il demeure incontestable que Gilbert du Motier, marquis de Lafayette, est à l'origine, au-delà des divergences bénignes et ponctuelles, de l'amitié quasi indéfectible qui lie la France et les États-Unis. C'est peut-être là ce qu'il offrit de plus grand à la postérité.

EN RÉSUMÉ

1757
6 sept. : Naissance de Lafayette

1775-1783
Guerre d'indépendance des États-Unis

1777
Lafayette s'engage dans la guerre d'indépendance

1778
Traité d'alliance franco-américain

1789
Révolution française

Lafayette est convoqué aux états généraux

1792
Lafayette est nommé général de l'armée du Nord

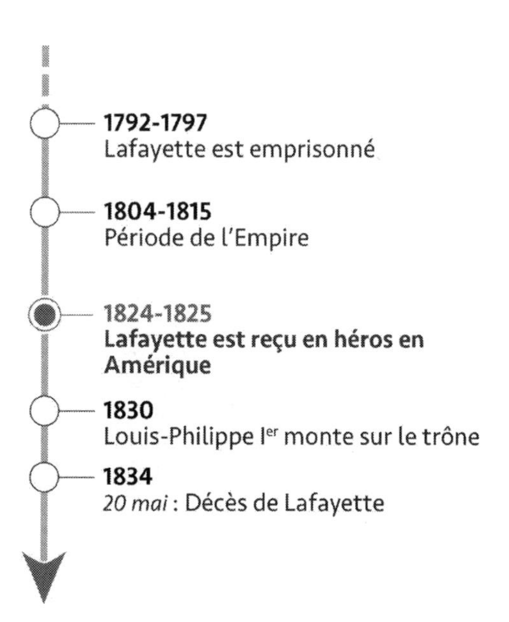

- Le marquis de Lafayette a été acteur de la guerre d'indépendance des États-Unis, de 1777 à 1781, de la Révolution française, de 1789 à 1792, et de la révolution de Juillet en 1830.
- Bien qu'il s'illustre au cours de la guerre américaine, c'est surtout le rôle symbolique qu'il y joue qui sera à l'origine de sa renommée et de son surnom, le héros des deux mondes.

- Commandant de la garde nationale et partisan de la monarchie constitutionnelle à la Révolution, Lafayette apparaît comme le parangon du réformisme sans violence.
- Il est l'inlassable opposant de Napoléon Ier, de Louis XVIII, de Charles X puis de Louis-Philippe, après les avoir tous accueillis favorablement au moment de leur investiture.
- En 1830, il refuse la présidence de la république pour placer Louis-Philippe sur le trône de France.
- Lafayette est un homme profondément attaché à la liberté, sous toutes ses formes, et à l'ordre légal. Il a, en toute circonstance, le courage de ses convictions qui ne varieront pas tout au long de sa vie.
- Il est le défenseur des opprimés, quels qu'ils soient : protestants, esclaves ou encore minorités persécutées dans leurs pays. Il lutte pour l'abolition de l'esclavage et contre la peine de mort.
- Lafayette est d'une grande intégrité et d'un idéalisme qui le rendent souvent inconscient de la complexité de la réalité, ce pour quoi on le taxe de naïveté, voire de niaiserie. Il est également d'une grande vanité et recherche la gloire outre mesure.

- Pour les Américains comme pour les Français, c'est avant tout son engagement au cours de la guerre d'indépendance qui a forgé la popularité du marquis. Il reste encore aujourd'hui la figure emblématique de l'amitié franco-américaine.

POUR ALLER PLUS LOIN

SOURCES BIBLIOGRAPHIQUES

- BERNIER (Olivier), *La Fayette. Héros des deux mondes*, Paris, Payot, 1988.
- CASTRIES (René, duc de), *La Fayette*, Paris, Tallandier, 1981.
- DECAUX (Alain), « Tragique malentendu aux états généraux », in *1789-1793, la Révolution, chronique d'une fin de règne*, Historia, n°81, janvier-février 2003, p. 42-45.
- MAUROIS (André), *Adrienne ou la vie de Mme de La Fayette*, Paris, Hachette, 1960.
- SAINT-BRIS (Gonzague), *La Fayette*, Paris, Télémaque, 2006.
- TAILLEMITE (Étienne), *La Fayette*, Paris, Fayard, 1989.
- VINCENT (Bernard), *Lafayette*, Paris, Gallimard/ Folio biographies, 2014.

SOURCES ICONOGRAPHIQUES

- Première rencontre entre George Washington et Lafayette qui a eu lieu en 1777 à Philadelphie. La photo reproduite est réputée libre de droits.

- Réplique de la frégate *Hermione*. La photo reproduite est réputée libre de droits.
- Le Serment de Lafayette à la fête de la Fédération, 14 juillet 1790. La photo reproduite est réputée libre de droits.
- Hommage rendu à Lafayette par la marine américaine au cimetière Picpus. La photo reproduite est réputée libre de droits.

FILMS ET DOCUMENTAIRES

- *La Fayette*, film de Jean Dréville, avec Michel Le Royer, Howard St. John et Pascale Audret, France, 1961.
- *La Révolution française*, film de Robert Enrico et Richard T. Heffron, avec Sam Neill, François Cluzet et Jane Seymour, France, Italie, Allemagne, Canada, Royaume-Uni, 1989.
- *Lafayette: The Lost Hero* (*Lafayette, un héros méconnu*), documentaire d'Oren Jacoby, États-Unis, 2010.
- *La Fayette, il était une fois l'Amérique*, in *Secrets d'histoire* présentée par Stéphane Bern, France, 2012.

BÂTIMENTS COMMÉMORATIFS

- Château natal de Lafayette à Chavaniac-Lafayette (France).
- Statue de Lafayette par Ernest-Eugène Hiolle (1883) au Puy-en-Velay dans le square Lafayette (France).
- Statue de Lafayette et de Washington par Auguste Bartholdi (1895) à Paris sur la place des États-Unis.
- Statue équestre par Paul Wayland Bartlett (1908) à Paris sur le cours la Reine.
- Statue équestre par Claude Goutin (2004) à Metz dans le jardin Boufflers (France).
- Statue de Lafayette par Auguste Bartholdi (1876) à l'Union Park Square à New York.
- Statue de Lafayette par Flaguière et Mercier (1891) dans le Square Lafayette (devant la Maison-Blanche) à Washington.
- Statue équestre par Andrew O'Connor (1924) sur la place Mount Vernon à Baltimore (États-Unis).

Votre avis nous intéresse !
Laissez un commentaire sur le site de votre librairie en ligne et partagez vos coups de cœur sur les réseaux sociaux !

www.50minutes.fr

ISBN ebook : 978-2-8062-6444-2
ISBN papier : 978-2-8062-6445-9
Dépôt légal : D/2015/12603/202
Photo de couverture : *Portrait de Gilbert Motier le Marquis De La Fayette, en tant que lieutenant Général*, 1834, Joseph-Désiré Court. © Wikimedia Commons/ Domaine public.

Conception numérique : Primento,
le partenaire numérique des éditeurs

Printed in Great Britain
by Amazon